Libro de cocina fácil para freír con aire

Recetas fáciles y asequibles para principiantes con presupuesto. Cocine a la parrilla, ase y coma comidas sabrosas todos los días. Reduzca su presión arterial y mejore su salud.

Tanya Hackett

Índice de contenidos

El siguiente Libro se reproduce a continuación con el objetivo de proporcionar información lo más precisa y fiable posible. Sin embargo, la compra de este libro puede considerarse como un consentimiento al hecho de que tanto el editor como el autor de este libro no son de ninguna manera expertos en los temas discutidos en el mismo y que cualquier recomendación o sugerencia que se hace aquí es sólo para fines de entretenimiento. Se debe consultar a los profesionales que sean necesarios antes de emprender cualquier acción respaldada en este libro.

Esta declaración es considerada justa y válida tanto por la American Bar Association como por el Comité de la Asociación de Editores y es legalmente vinculante en todo Estados Unidos.

Además, la transmisión, duplicación o reproducción de cualquiera de las siguientes obras, incluida la información específica, se considerará un acto ilegal, independientemente de si se realiza de forma electrónica o impresa. Esto se extiende a la creación de una copia secundaria o terciaria de la obra o de una copia grabada y sólo se permite con el consentimiento expreso por escrito de la Editorial. Todos los derechos adicionales están reservados.

La información contenida en las siguientes páginas se considera, en términos generales, una exposición veraz y exacta de los hechos y, como tal, cualquier falta de atención, uso o mal uso de la información en cuestión por parte del lector hará que cualquier acción resultante sea únicamente de su incumbencia. No existe ningún escenario en el que el editor o el autor original de esta obra puedan ser considerados de alguna manera responsables de cualquier dificultad o daño que pueda ocurrirles después de emprender la información aquí descrita.

Además, la información contenida en las páginas siguientes tiene únicamente fines informativos, por lo que debe considerarse universal. Como corresponde a su naturaleza, se presenta sin garantía de su validez prolongada ni de su calidad provisional. Las marcas comerciales que se mencionan se hacen sin el consentimiento por escrito y no pueden considerarse en modo alguno como un respaldo del titular de la marca.

Introducción

La freidora de aire es un aparato de cocina relativamente nuevo que ha demostrado ser muy popular entre los consumidores. Aunque hay muchas variedades disponibles, la mayoría de las freidoras de aire comparten muchas características comunes. Todas tienen elementos calefactores que hacen circular aire caliente para cocinar los alimentos. La mayoría vienen con ajustes preprogramados que ayudan a los usuarios a preparar una amplia variedad de alimentos.

La fritura al aire es un estilo de cocina más saludable porque utiliza menos aceite que los métodos tradicionales de fritura. Además de conservar el sabor y la calidad de los alimentos, reduce la cantidad de grasa utilizada en la cocción. La fritura al aire es un método común para "freír" alimentos que se elaboran principalmente con huevos y harina. Estos alimentos pueden quedar blandos o crujientes a su gusto utilizando este método.

Cómo funcionan las freidoras de aire

Las freidoras de aire utilizan un soplador para hacer circular aire caliente alrededor de los alimentos. El aire caliente calienta la humedad de los alimentos hasta que se evapora y crea vapor. A medida que el vapor se acumula alrededor de los alimentos, crea una presión que extrae la humedad de la superficie de los alimentos y la aleja del centro, formando pequeñas burbujas. Las burbujas crean una capa de aire que rodea el alimento y crea una corteza crujiente.

Elegir una freidora de aire

A la hora de elegir una freidora de aire, busque una que tenga buenas opiniones sobre la satisfacción de los clientes. Comience por las características que necesita, como la potencia, el tamaño de la capacidad y los accesorios. Busque una que sea fácil de usar. Algunas freidoras de aire del mercado tienen un temporizador incorporado y una temperatura ajustable. Busque una que tenga un embudo para recoger la grasa, una cesta apta para el lavavajillas y piezas fáciles de limpiar.

Cómo utilizar una freidora de aire

Para obtener los mejores resultados, precaliente la freidora de aire a 400 F durante 10 minutos. El precalentamiento de la freidora de aire permite alcanzar la temperatura adecuada más rápidamente. Además, precalentar la freidora de aire es esencial para asegurar que su comida no se queme.

Cómo cocinar cosas en una freidora de aire

Si aún no tienes una freidora de aire, puedes empezar a jugar con tus hornos echando unas patatas fritas congeladas y cocinándolas hasta que se doren uniformemente. Dependiendo de tu horno, echa un vistazo a la temperatura. Puede que tengas que aumentar o disminuir el tiempo.

¿Qué alimentos se pueden cocinar en una freidora de aire?

Huevos: Aunque puedes cocinar huevos en una freidora de aire, no lo recomendamos porque no puedes controlar el tiempo y la temperatura de cocción con tanta precisión como con una sartén tradicional. Es mucho más fácil que los huevos se cocinen de forma desigual. Tampoco puedes añadir salsas o condimentos y no obtendrás bordes dorados y crujientes.

Alimentos congelados: Generalmente, los alimentos congelados se cocinan mejor en el horno convencional porque necesitan alcanzar una determinada temperatura para cocinarse correctamente. La freidora de aire no es capaz de alcanzar temperaturas que hagan que los alimentos se cocinen completamente.

Alimentos deshidratados: Los alimentos deshidratados requieren una fritura profunda, algo que no se puede hacer con una freidora de aire. Cuando se trata de cocinar alimentos deshidratados, la freidora de aire no es la mejor opción.

Verduras: Puedes cocinar verduras en una freidora de aire, pero tienes que asegurarte de que la freidora de aire no está ajustada a una temperatura que las queme.

Para asegurarse de que las verduras no se cocinan en exceso, ponga en marcha la freidora de aire con la cesta apagada, y luego eche las verduras una vez que el aire se haya calentado y ya no haya puntos fríos. Asegúrese de remover las verduras cada pocos minutos. Cocinarlas en la cesta también es una opción, pero pueden pegarse un poco.

Patatas fritas: Freír las patatas fritas en una freidora de aire es una buena manera de conseguir patatas fritas crujientes y doradas sin añadir mucho aceite. En comparación con la fritura convencional, la fritura al aire libre aporta menos calorías.
Para cocinar las patatas fritas en una freidora de aire, utilice una cesta o una rejilla y vierta suficiente aceite para que llegue hasta la mitad de la altura de las patatas. Para obtener los mejores resultados, asegúrese de que las patatas fritas estén congeladas. Ponga la freidora de aire a 400 grados y programe 12 minutos. Si las quiere muy crujientes, puede programar 18 minutos, pero pueden quemarse un poco.
Beneficios de una freidora de aire:
- Es una de las formas más fáciles de cocinar alimentos saludables. Si se utiliza 4 o 5 veces por semana, es una opción más saludable que freír con aceite en el horno convencional o utilizar alimentos enlatados.

- Las freidoras de aire son una forma fácil de servir comida sabrosa que no ocupa mucho espacio. Las freidoras de aire permiten cocinar el triple de comida que en el microondas.
- Las freidoras de aire ocupan poco espacio y se pueden guardar en un armario cuando no se utilizan.
-Son aparatos de cocina versátiles. Puedes utilizarlos para cocinar alimentos para el almuerzo, la cena y los aperitivos.
- Las freidoras de aire requieren poco o ningún esfuerzo en la cocina. Puedes usarlas con la tapa puesta, lo que significa que hay que lavar menos.

Chili Verde de Pollo

Tiempo de preparación: 10 minutos

Tiempo de cocción: 25 minutos

Porciones: 6

Ingredientes:

1. libras de pechugas o muslos de pollo
2. ½ cucharadita de comino molido
3. ¼ de cucharadita de ajo en polvo
4. onzas de salsa verde
5. Sal y pimienta, al gusto

Direcciones:

Turquía Conjunto

Tiempo de preparación: 10 minutos

Tiempo de cocción: 11 minutos

Porciones: 6

Ingredientes:

1 lb. Pechuga de pavo
2 cucharada de mantequilla derretida
3 Dientes de ajo
4 1 cucharadita de tomillo
5 1 cucharadita de romero

Direcciones:

- Caliente la freidora de aire para alcanzar los 375° Fahrenheit.
- Secar la pechuga de pavo. Picar el ajo y picar el romero y el tomillo.
- Derrita la mantequilla y mézclela con el ajo, el tomillo y el romero en un bol pequeño. Unte la pechuga de pavo con la mantequilla.

- Colóquelo en la cesta de la Air Fryer, con la piel hacia arriba, y cocínelo durante 40 minutos o hasta que la temperatura interna alcance los 160° Fahrenheit, dándole la vuelta a mitad de camino.
- Esperar cinco minutos antes de cortar.

La nutrición:

Calorías: 321 kcal

Proteínas: 34,35 g

Grasa: 19,32 g

Carbohidratos: 0.56 g

Palillos de Cilantro

Tiempo de preparación: 12 minutos

Tiempo de cocción: 18 minutos

Porciones: 4

Ingredientes:

1. muslos de pollo
2. ½ taza de salsa chimichurri
3. ¼ de taza de zumo de limón

Direcciones:

- Cubra los muslos de pollo con la salsa chimichurri y refrigere en un recipiente hermético durante no menos de una hora, idealmente toda la noche.
- Cuando sea el momento de cocinar, precaliente su freidora a 400°F.
- Saque el pollo de la nevera y déjelo volver a la temperatura ambiente durante unos veinte minutos.
- Cocinar durante dieciocho minutos en la freidora. Rociar con zumo de limón al gusto y disfrutar.

La nutrición:

Calorías: 452 kcal

Proteínas: 49,16 g

Grasa: 25,53 g

Carbohidratos: 3.52 g

Rollos de pavo con mozzarella

Tiempo de preparación: 10 minutos

Tiempo de cocción: 10 minutos

Porciones: 4

Ingredientes:

1. rebanadas de pechuga de pavo
2. 1 taza de mozzarella fresca en rodajas
3. 1 tomate en rodajas
4. ½ taza de albahaca fresca
5. brotes de cebollino

Direcciones:

- Precaliente su Air Fryer a 390°F.
- Coloca las rodajas de mozzarella, el tomate y la albahaca encima de cada rodaja de pavo.
- Enrolle el pavo, encerrando bien el relleno, y asegúrelo atando a brotes de cebollino alrededor de cada uno.
- Poner en la Air Fryer y cocinar durante 10 minutos. Servir con una ensalada si se desea.

La nutrición:

Calorías: 3616 kcal

Proteínas: 506,27 g

Grasa: 160,48 g

Carbohidratos: 1.21 g

Bolas de pavo con salvia y cebolla

Tiempo de preparación: 25 minutos

Tiempo de cocción: 15 minutos

Raciones: 2

Ingredientes:

a. oz. de carne picada de pavo

2 ½ cebolla pequeña, picada

3 1 huevo mediano

4 1 cucharadita de salvia

5 ½ cucharadita de ajo triturado

6 Cucharada de pan rallado de amigos

7 Sal al gusto

8 Pimienta al gusto

Direcciones:

- Poner todos los ingredientes en un bol y mezclarlos bien.
- Tome porciones iguales de la mezcla y moldee cada una en una pequeña bola. Transfiere a la Air Fryer y cocina durante 15 minutos a 350°F.
- Servir con salsa tártara y puré de patatas.

La nutrición:

Calorías: 516 kcal

Proteínas: 22,1 g

Grasa: 30,22 g

Carbohidratos: 37.75 g

La nutrición:

Calorías: 212 kcal

Proteínas: 30,03 g

Grasa: 7,1 g

Carbohidratos: 5.96 g

Branzini cítrico a la parrilla

Tiempo de preparación: 5 minutos

Tiempo de cocción: 15 minutos

Porciones: 4

Ingredientes:

1. filetes de branzini
2. Sal y pimienta al gusto
3. limones, zumo recién exprimido
4. naranjas, zumo recién exprimido

Direcciones:

- Sazona los filetes de salmón con sal y pimienta. Mezcle lo que queda de los ingredientes en un bol. Deje que los filetes de salmón se marinen en la mezcla durante 2 horas. Precaliente la freidora a 355°Fahrenheit durante 5 minutos. Escurra los filetes de salmón y fríalos durante 8 minutos.

La nutrición:

Calorías: 302,

Grasa total: 8,6g,

Carbohidratos: 7,3g,

Proteínas: 15,3g

Salmón empanado con queso

Tiempo de preparación: 5 minutos

Tiempo de cocción: 20 minutos

Porciones: 4

Ingredientes:

1. tazas de pan rallado
2. filetes de salmón
3. huevos, batidos
4. 1 taza de queso suizo rallado

Direcciones:

- Sirva los camarones en platos y repita con el resto de la mezcla para servir.

La nutrición:

Calorías: 408,

Grasas: 23,7g,

Carbohidratos: 11.7g,

Azúcar: 3,4g,

Proteínas: 31g,

Gambas recubiertas de harina de arroz

Tiempo de preparación: 20 minutos

Tiempo de cocción: 20 minutos

Porciones: 3

Ingredientes:

1 cucharadas de harina de arroz
2 1 libra de camarones, pelados y desvenados
3 cucharadas de aceite de oliva
4 1 cucharadita de azúcar en polvo
5 Sal y pimienta negra, según sea necesario

Direcciones:

- Precaliente la freidora a 325 o F y engrase la cesta de la freidora.
- Mezclar en un bol la harina de arroz, el aceite de oliva, el azúcar, la sal y la pimienta negra.
- Incorpore las gambas y transfiera la mitad de las gambas a la cesta de la freidora.
- Cocinar durante unos 10 minutos, dándole la vuelta una vez entre medias.
- Repartir la mezcla en platos para servir y repetir con el resto de la mezcla.

La nutrición:

Calorías: 299,

Grasa: 12g,

Carbohidratos: 11.1g,

Azúcar: 0,8g,

Proteínas: 35g,

Sodio: 419mg

Vieiras con mantequilla

Tiempo de preparación: 15 minutos

Tiempo de cocción: 4 minutos

Raciones: 2

Ingredientes:

1. ¾ de libra de vieiras, limpias y muy secas
2. 1 cucharada de mantequilla derretida
3. ½ cucharada de tomillo fresco, picado
4. Sal y pimienta negra, según sea necesario

Direcciones:

- Precaliente la freidora a 390 o F y engrase una cesta de la freidora.
- Mezclar en un bol las vieiras, la mantequilla, el tomillo, la sal y la pimienta negra.
- Coloque las vieiras en la cesta de la freidora y cocínelas durante unos 4 minutos.
- Repartir las vieiras en una fuente y servirlas calientes.

La nutrición:

Calorías: 202,

Grasa: 7,1g,

Carbohidratos: 4.4g,

Azúcar: 0g,

Proteínas: 28,7g,

Palitos de pescado

Tiempo de preparación: 5 minutos

Tiempo de cocción: 20 minutos

Porciones: 4

Ingredientes:

1. 1 libra de filete de bacalao; cortado en tiras de 3/4 de pulgada
2. 1 oz. de corteza de cerdo, finamente molida
3. 1 huevo grande.
4. ¼ de taza de harina de almendra blanqueada y finamente molida.
5. 1 cucharada de aceite de coco

Direcciones:

- Poner la corteza de cerdo molida, la harina de almendra y el aceite de coco en un bol grande y mezclar. Tome a tazón mediano, bata el huevo
- Sumerja cada palito de pescado en el huevo y luego páselo por la mezcla de harina, cubriéndolo lo más completa y uniformemente posible. Coloque los palitos de pescado en la cesta de la freidora de aire

- Fijar la temperatura a 400 °F y programar el temporizador durante 10 minutos o hasta que se dore. Sirva inmediatamente.

La nutrición:

Calorías: 205;

Proteínas: 24,4g;

Fibra: 0,8g;

Grasa: 10,7g;

Carbohidratos: 1,6g

Trucha con mantequilla

Tiempo de preparación: 5 minutos

Tiempo de cocción: 20 minutos

Porciones: 4

Ingredientes:

1. filetes de trucha; sin espinas
2. Zumo de 1 lima
3. 1 cucharada de perejil picado.
4. cucharada de mantequilla derretida
5. Sal y pimienta negra al gusto.

Direcciones:

- Mezcle los filetes de pescado con la mantequilla derretida, la sal y la pimienta, frote suavemente, ponga el pescado en la cesta de su freidora de aire y cocine a 390°F durante 6 minutos por cada lado.
- Repartir en los platos y servir con zumo de lima rociado por encima y con perejil espolvoreado al final.

La nutrición:

Calorías: 221;

Grasa: 11g;

Fibra: 4g;

Carbohidratos: 6g;

Proteínas: 9g

Salmón al Pesto con Almendras

Tiempo de preparación: 5 minutos

Tiempo de cocción: 15 minutos

Porciones: 4

Ingredientes:

1. 2: filetes de salmón de 1 ½ pulgadas de grosor: aproximadamente 4 onzas cada uno
2. ¼ de taza de almendras en rodajas, picadas en trozos grandes
3. ¼ de taza de pesto
4. Cucharada de mantequilla sin sal; derretida.

Direcciones:

- En un bol pequeño, mezclar el pesto y las almendras. Déjelo a un lado. Coloque los filetes en una fuente de horno redonda de 15 cm.
- Unte cada filete con mantequilla y coloque la mitad de la mezcla de pesto en la parte superior de cada filete. Coloque el plato en la cesta de la freidora de aire. Cambie la temperatura a 390 °F y programe el temporizador para 12 minutos

- El salmón se desmenuza fácilmente cuando está completamente cocido y alcanza una temperatura interna de al menos 145 grados F. Servir caliente.

La nutrición:

Calorías: 433;

Proteínas: 23,3g;

Fibra: 2,4g;

Grasa: 34,0g;

Carbohidratos: 6,1g

Camarones al ajo y al limón

Tiempo de preparación: 5 minutos

Tiempo de cocción: 10 minutos

Porciones: 4

Ingredientes:

1. 8 oz. de camarones medianos sin cáscara y desvenados
2. 1 limón mediano.
3. 2 cucharadas de mantequilla sin sal; derretida.
4. ½ cucharadita de ajo picado

5. ½ cucharadita de condimento Old Bay

Direcciones:

- Pele el limón y córtelo por la mitad. Coloca las gambas en un bol grande y exprime el zumo de medio limón sobre ellas.
- Añada la ralladura de limón al bol junto con el resto de los ingredientes. Mezcle los camarones hasta que estén completamente cubiertos
- Vierta el contenido del bol en una fuente de horno redonda de 15 cm. Colóquelo en la cesta de la freidora.
- Ajuste la temperatura a 400 grados F y programe el temporizador para 6 minutos. Los camarones tendrán un color rosado brillante cuando estén completamente cocidos. Sirva caliente con la salsa de la sartén.

La nutrición:

Calorías: 190;

Proteínas: 16,4g;

Fibra: 0,4g;

Grasa: 11,8g;

Carbohidratos: 2,9g

Palitos de cangrejo fritos al aire

Tiempo de preparación: 5 minutos

Tiempo de cocción: 10 minutos

Porciones: 4

Ingredientes:

1. Palitos de cangrejo: 1 paquete
2. Aceite de cocina en spray: según sea necesario

Direcciones:

- Saque cada uno de los palitos del paquete y desenróllelos hasta que queden planos. Rompa las láminas en tercios.

- Colóquelos en un plato y rocíelos ligeramente con spray de cocina. Poner el cronómetro en 10 minutos.
- Nota: Si desmenuza la carne de cangrejo, puede reducir el tiempo a la mitad, pero también caerán fácilmente por los agujeros de la cesta.

La nutrición:

Calorías: 220

Carbohidratos: 11 g

Grasa: 13 g

Proteínas: 23 g

Bagre E-Z

Tiempo de preparación: 5 minutos

Tiempo de cocción: 25 minutos

Porciones: 3

Ingredientes:

1. Aceite de oliva: 1 cucharada.
2. Fritura de pescado sazonada: 0,25 taza
3. Filetes de bagre: 4

Direcciones:

- Prepare la freidora a 400º Fahrenheit.
- En primer lugar, lava el pescado y sécalo con una toalla de papel.
- Vierta el condimento en una bolsa grande con cierre. Añada el pescado y agite para cubrir cada filete. Rocíe con una rociada de aceite de cocina en aerosol. Añade a la cesta.
- Poner el temporizador en marcha durante diez minutos. Dale la vuelta y vuelve a programar el temporizador para diez minutos más. Dale la vuelta una vez más y cocina durante dos o tres minutos.

- Una vez que alcance el punto crujiente deseado, pasar a un plato para servir.

La nutrición:

Calorías: 290

Carbohidratos: 14 g

Grasa: 16 g

Proteínas: 30 g

Nuggets de pescado

Tiempo de preparación: 5 minutos

Tiempo de cocción: 20 minutos

Porciones: 4

Ingredientes:

1. Filete de bacalao: 1 lb.
2. Huevos: 3
3. Aceite de oliva: 4 cucharadas.
4. Harina de almendra: 1 taza
5. Pan rallado sin gluten 1 taza

Direcciones:

- Fije la temperatura de la Air Fryer en 390º Fahrenheit.

- Cortar el bacalao en nuggets.
- Preparar tres platos. Batir los huevos en uno. En otro, mezclar el aceite y el pan rallado. El último será la harina de almendras.
- Cubrir cada uno de los nuggets con la harina, un baño en los huevos y el pan rallado.
- Coloque los nuggets preparados en la cesta y programe el temporizador para 20 minutos. Servir.

La nutrición:

Calorías: 220

Carbohidratos: 10 g

Grasa: 12 g

Proteínas: 23 g

Camarones a la parrilla

Tiempo de preparación: 5 minutos

Tiempo de cocción: 10 minutos

Porciones: 4

Ingredientes:

1. Langostinos/limones medianos: 8
2. Mantequilla derretida: 1 cucharada.
3. Romero: 1 ramita
4. Pimienta y sal: al gusto
5. Dientes de ajo picados: 3

Direcciones:

- Combine todos los ingredientes en un bol. Mezclar bien y colocar en la cesta de la freidora.
- Poner el temporizador a 7 minutos: 356º Fahrenheit y servir.

La nutrición:

Calorías: 180

Carbohidratos: 2 g

Grasa: 10 g

Proteínas: 15 g

Calamares con miel y Sriracha

Tiempo de preparación: 10 minutos

Tiempo de cocción: 20 minutos

Raciones: 2

Ingredientes:

1. Tubos de calamares - tentáculos si lo prefiere: 0,5 lb.
2. Gaseosa: 1 taza
3. Harina: 1 taza
4. Sal - pimienta roja y pimienta negra: 2 pizcas cada una
5. Miel: 0,5 taza + 1-2 cucharadas de Sriracha

Direcciones:

- Enjuague completamente los calamares y séquelos con un puñado de toallas de papel. Córtelos en anillos (de 0,25 pulgadas de ancho). Ponga los aros en un bol. Vierta la soda y remueva hasta que todos estén sumergidos. Espere unos 10 minutos.
- Tamizar la sal, la harina y la pimienta roja y negra. Reservar por ahora.
- Pasar los calamares por la mezcla de harina y ponerlos en una bandeja hasta que estén listos para freír.
- Rocíe la cesta de la Air Fryer con una pequeña cantidad de aceite de cocina en spray. Coloca los calamares en la cesta, con cuidado de no apilarlos demasiado.
- Poner la temperatura a 375º Fahrenheit y el temporizador a 11 minutos.
- Agite la cesta dos veces durante el proceso de cocción, aflojando los anillos que puedan pegarse.
- Retirar de la cesta, mezclar con la salsa y volver a la freidora durante dos minutos más.

- Servir con salsa adicional al gusto.
- Prepare la salsa combinando la miel y la sriracha en un tazón pequeño, mezcle hasta que esté completamente combinada.

La nutrición:

Calorías: 210

Carbohidratos: 5 g

Grasa: 12 g

Proteínas: 19 g

Croquetas de salmón

Tiempo de preparación: 5 minutos

Tiempo de cocción: 10 minutos

Porciones: 4

Ingredientes:

1. Salmón rojo: lata de 1 libra
2. Pan rallado: 1 taza
3. Aceite vegetal: 0,33 taza
4. Perejil picado: la mitad de 1 manojo
5. Huevos: 2

Direcciones:

- Poner la Air Fryer a 392º Fahrenheit.

- Escurrir y triturar el salmón. Batir y añadir los huevos y el perejil.
- En otro plato, mezclar el pan rallado y el aceite.
- Preparar 16 croquetas con la mezcla de pan rallado.
- Colocar en la cesta de la freidora precalentada durante siete minutos.
- Sirve.

La nutrición:

Calorías: 240

Carbohidratos: 7 g

Grasa: 16 g

Proteínas: 30 g

Bacalao picante

Tiempo de preparación: 5 minutos

Tiempo de cocción: 10 minutos

Porciones: 4

Ingredientes:

1. 4 filetes de bacalao; sin espinas
2. 2 cucharadas de chiles variados
3. 1 limón; en rodajas

4. Zumo de 1 limón
5. Sal y pimienta negra al gusto

Direcciones:

En su freidora de aire, mezcle el bacalao con la guindilla, el zumo de limón, la sal y la pimienta Colocar las rodajas de limón encima y cocinar a 360°F durante 10 minutos. Repartir los filetes en los platos y servir.

La nutrición:

Calorías: 250

Carbohidratos: 13 g

Grasa: 13 g

Proteínas: 29 g

Colas de langosta fritas al aire

Tiempo de preparación: 5 minutos

Tiempo de cocción: 10 minutos

Raciones: 2

Ingredientes:

- 2 cucharadas de mantequilla sin sal, derretida
- 1 cucharada de ajo picado
- 1 cucharadita de sal
- 1 cucharada de cebollino fresco picado
- 2 colas de langosta congeladas (de 4 a 6 onzas)

Direcciones:

1. Preparación de los ingredientes
2. En un bol, ponga la mantequilla, el ajo, la sal y el cebollino y mézclelos.
3. Cortar la cola del bogavante en forma de mariposa: Empezando por el extremo carnoso de la cola, utilice unas tijeras de cocina para cortar el centro del caparazón superior.
4. Deténgase cuando llegue a la parte ancha y abanicada de la cola. Separe con cuidado la carne y el caparazón a lo largo de la línea de corte, pero mantenga la carne unida donde se conecta con la parte ancha de la cola. Utilice la mano para desconectar suavemente la carne de la parte inferior del caparazón.
5. Levantar la carne y sacarla de la cáscara (manteniéndola unida en el extremo ancho). Cierre la cáscara debajo de la carne, de modo que la carne descanse sobre la cáscara.
6. Coloque el bogavante en la cesta de la freidora y unte generosamente la carne con la mezcla de mantequilla.

7. Freír con aire. Ajuste la temperatura de su AF a 380°F. Ajuste el temporizador y cocine al vapor durante 4 minutos.
8. Abra la freidora y gire las colas de langosta. Píntelas con más de la mezcla de mantequilla. Vuelva a poner el temporizador en marcha y cocine al vapor durante 4 minutos más. El bogavante está hecho cuando la carne está opaca.

La nutrición:

Calorías: 255;

Grasa: 13g;

Carbohidratos: 2g;

Proteínas: 32g;

Sodio: 1453mg

Salmón para freír al aire libre

Tiempo de preparación: 5 minutos

Tiempo de cocción: 10 minutos

Raciones: 2

Ingredientes:

- ½ cucharadita de sal
- ½ cucharadita de ajo en polvo
- ½ cucharadita de pimentón ahumado
- Salmón

Direcciones:

1. Preparar los ingredientes. Mezcle las especias y espolvoréelas sobre el salmón. Coloque el salmón sazonado en la freidora de aire.
2. Freír al aire. Cierre la tapa para freír. Ajuste la temperatura a 400°F y el tiempo a 10 minutos.

La nutrición:

Calorías: 185;

Grasa: 11g;

Proteínas:21g;

Azúcar:0g

Vieiras simples

Tiempo de preparación: 5 minutos

Tiempo de cocción: 5 minutos

Porciones: 4

Ingredientes:

- 12 vieiras medianas
- 1 cucharadita de sal marina fina
- pimienta negra molida al gusto
- Hojas de tomillo fresco, para decorar (opcional)

Direcciones:

1. Preparar los ingredientes. Engrase la cesta de la freidora de aire con aceite de aguacate. Precaliente la freidora de aire a 390°F. Enjuague las vieiras y séquelas completamente. Rocíe el aceite de aguacate sobre las vieiras y sazónelas con la sal y la pimienta.
2. Freír al aire. Colócalas en la cesta de la freidora de aire, separándolas (si utilizas una freidora de aire más pequeña, trabaja en tandas si es necesario). Déle la vuelta a las vieiras después de 2 minutos de cocción y cocínelas durante otros 2 minutos, o hasta que estén bien cocidas y ya no estén translúcidas. Adorne con pimienta negra molida y hojas de tomillo, si lo desea. Es mejor servirlas frescas.

La nutrición:

Calorías: 170

Carbohidratos: 8 g

Grasa: 11 g

Proteínas: 17 g

Bagre en la freidora de 3 ingredientes

Tiempo de preparación: 5 minutos

Tiempo de cocción: 15 minutos

Porciones: 4

Ingredientes:

- 1 cucharada de perejil picado
- 1 cucharada de aceite de oliva
- ¼ C. pescado frito sazonado
- 4 filetes de siluro

Direcciones:

1. Preparación de los ingredientes. Asegúrese de que su freidora de aire esté precalentada a 400 grados.
2. Enjuague los filetes de bagre y séquelos. Añade el condimento para pescado frito en una bolsa Ziploc y luego el bagre. Agita la bolsa y asegúrate de que el pescado quede bien cubierto. Rocíe cada filete con aceite de oliva. Añada los filetes a la cesta de la freidora.

3. Freír al aire. Ajuste la temperatura a 400°F y el tiempo a 10 minutos. Cocine 10 minutos. Luego déle la vuelta y cocine otros 2 ó 3 minutos.

La nutrición:

Calorías: 208;

Grasa: 5g;

Proteínas:17g;

Azúcar:0,5g

Bagre con costra de nuez

Tiempo de preparación: 5 minutos

Tiempo de cocción: 12 minutos

Porciones: 4

Ingredientes:

- ½ taza de harina de nuez
- 1 cucharadita de sal marina fina
- ¼ de cucharadita de pimienta negra molida
- 4 filetes de bagre (4 onzas)
- PARA ADORNAR (OPCIONAL):
- Orégano fresco

Direcciones:

1. Preparar los ingredientes. Engrase la cesta de la freidora de aire con aceite de aguacate. Precaliente la freidora de aire a 375°F. En un tazón grande, mezcle la harina de nuez, la sal y la pimienta. Reboce los filetes de bagre, uno por uno, en la mezcla, cubriéndolos bien. Utilice las manos para presionar la harina de nuez en los filetes. Rocíe el pescado con aceite de aguacate y colóquelo en la cesta de la freidora.
2. Freír al aire. Cocine el bagre recubierto durante 12 minutos, o hasta que se desmenuce fácilmente y ya no esté translúcido en el centro, dándole la vuelta a mitad de camino. Adorne con ramitas de orégano y mitades de nueces, si lo desea.

La nutrición:

Calorías 162;

Grasa 11g;

Proteína 17g;

Total de carbohidratos 1g;

Fibra 1g

Peces voladores

Tiempo de preparación: 5 minutos

Tiempo de cocción: 12 minutos

Porciones: 4

Ingredientes:

- Cucharada de aceite
- 3-4 onzas de pan rallado
- 1 huevo entero batido en un platillo/plato hondo
- 4 filetes de pescado fresco
- Limón fresco (para servir)

Direcciones:

1. Preparar los ingredientes. Caliente la freidora de aire a 350° F. Mezcle las migas y el aceite hasta que quede bien suelto. Sumerja el pescado en el huevo y cúbralo ligeramente, luego pase a las migas. Asegúrese de que el filete quede cubierto uniformemente.
2. Freír al aire. Cocine en la cesta de la freidora de aire durante aproximadamente 12 minutos: dependiendo del tamaño de los filetes que esté utilizando. Servir con limón fresco y patatas fritas para completar el dúo.

La nutrición:

Calorías: 180

Carbohidratos: 9 g

Grasa: 12 g

Proteínas: 19 g

Tacos de pescado al aire libre

Tiempo de preparación: 5 minutos

Tiempo de cocción: 15 minutos

Porciones: 4

Ingredientes:

- 1 libra de bacalao
- 1 cucharada de comino
- ½ cucharada de chile en polvo
- 1 ½ C. de harina de coco
- 10 onzas de cerveza mexicana

- 2 huevos

Direcciones:

1. Preparar los ingredientes. Batir la cerveza y los huevos juntos. Bata la harina, la pimienta, la sal, el comino y el chile en polvo. Corte el bacalao en trozos grandes y páselo por la mezcla de huevo y luego por la de harina.
2. Freír al aire. Rocíe el fondo de la cesta de la freidora de aire con aceite de oliva y añada los trozos de bacalao recubiertos. Cocine 15 minutos a 375 grados.
3. Servir en hojas de lechuga con salsa casera.

La nutrición:

Calorías: 178;

Carbohidratos:61g;

Grasa:10g;

Proteínas:19g;

Azúcar:1g

Vieiras envueltas en tocino

Tiempo de preparación: 5 minutos

Tiempo de cocción: 5 minutos

Porciones: 4

Ingredientes:

- 1 cucharadita de pimentón
- 1 cucharadita de pimienta de limón
- 5 rebanadas de tocino cortado en el centro
- 20 vieiras crudas

Direcciones:

1. Preparación de los ingredientes. Enjuague y escurra las vieiras, colocándolas en toallas de papel para absorber el exceso de humedad. Cortar las lonchas de bacon en 4 trozos. Con un trozo de tocino, envolver cada vieira, y luego usar palillos para asegurar. Espolvorear las vieiras envueltas con pimentón y pimienta de limón.
2. Freír al aire. Rocía la cesta de la freidora con aceite de oliva y añade las vieiras.

3. Cocinar 5-6 minutos a 400 grados, asegurándose de dar la vuelta a mitad de camino.

La nutrición:

Calorías: 389;

Carbohidratos:63g;

Grasa:17g;

Proteínas:21g;

Azúcar:1g

Bagre frito rápido

Tiempo de preparación: 5 minutos

Tiempo de cocción: 15 minutos

Porciones: 4

Ingredientes:

- 3/4 de taza de mezcla Original Bisquick™.
- 1/2 taza de harina de maíz amarilla
- 1 cucharada de condimento para mariscos
- 4 filetes de bagre (4-6 oz. cada uno)
- 1/2 taza de aderezo ranchero

Direcciones:

1. Preparación de los ingredientes.
2. En un recipiente, mezcle la mezcla de Bisquick, la harina de maíz y el condimento para mariscos. Seque los filetes y úntelos con el aderezo ranchero. Presione los filetes en la mezcla Bisquick por ambos lados hasta que el filete esté cubierto de manera uniforme.
3. Freír al aire.
4. Cocine en su freidora de aire a 360 grados durante 15 minutos, voltee los filetes a la mitad. Servir.

La nutrición:

Calorías: 372;

Grasa:16g;

Proteínas:28g;

Fibra:1,7g

Gambas al aire libre con hierbas

Tiempo de preparación: 2 minutos

Tiempo de cocción: 5 minutos

Porciones: 4

Ingredientes:

- Un ¼ de libra de camarones, pelados y desvenados
- ½ cucharadita de pimentón
- Una cucharada de aceite de oliva
- ¼ de pimienta de cayena

- ½ cucharadita de condimento Old Bay

Direcciones:

1. Precaliente la freidora a 400°Fahrenheit. Mezcle todos los ingredientes en un bol. Coloque las gambas sazonadas en la cesta de la freidora y cocínelas durante 5 minutos.

La nutrición:

Calorías: 300

Grasa total: 9,3g

Carbohidratos: 8,2g

Proteínas: 14,6g

Salmón cremoso para freír al aire libre

Tiempo de preparación: 5 minutos

Tiempo de cocción: 10 minutos

Raciones: 2

Ingredientes:

- ¾ de libra de salmón, cortado en seis trozos
- ¼ de taza de yogur natural
- Una cucharada de eneldo picado
- Tres cucharadas de crema agria ligera
- Una cucharada de aceite de oliva

Direcciones:

1. Sazona el salmón con sal y ponlo en una freidora de aire. Rocía el salmón con aceite de oliva. Fría el salmón en el aire a 285°Fahrenheit y cocínelo durante 10 minutos. Mezcla el eneldo, el yogur, la crema agria y un poco de sal (opcional). Colocar el salmón en una fuente y rociar con la salsa cremosa.

La nutrición:

Calorías: 289

Grasa total: 9,8g

Carbohidratos: 8,6

Proteínas: 14,7g

Camarones a la parrilla con lima

Tiempo de preparación: 5 minutos

Tiempo de cocción: 15 minutos

Porciones: 4

Ingredientes:

- 4 tazas de gambas
- 1 ½ tazas de salsa barbacoa
- Una lima fresca, cortada en cuartos

Direcciones:

1. Precaliente su freidora de aire a 360°Fahrenheit. Coloque las gambas en un bol con salsa barbacoa. Revuelva suavemente. Deje que las gambas se marinen durante al menos 5 minutos. Coloque los camarones en la freidora de aire y cocine durante 15-minutos. Saque de la freidora y exprima la lima sobre las gambas.

La nutrición:

Calorías: 289,

Grasa total: 9,8g,

Carbohidratos: 8,7g,

Proteínas: 14,9g

Tilapia picante al aire libre con queso

Tiempo de preparación: 5 minutos

Tiempo de cocción: 10 minutos

Porciones: 4

Ingredientes:

- 1 libra de filetes de tilapia
- Una cucharada de aceite de oliva
- Sal y pimienta al gusto
- Dos cucharaditas de pimentón
- ¾ de taza de queso parmesano rallado

Direcciones:

1. Precaliente su freidora a 400°Fahrenheit. Mezcle el queso parmesano, el pimentón, la sal y la pimienta. Rocíe aceite de oliva sobre los filetes de tilapia y cúbralos con la mezcla de pimentón y queso. Coloque los filetes de tilapia recubiertos en papel de aluminio. Poner en la freidora de aire y cocinar durante 10 minutos.

La nutrición:

Calorías: 289,

Grasa total: 8,9g,

Carbohidratos: 7,8g,

Proteínas: 14,9g

Salmón con queso

Tiempo de preparación: 4 minutos

Tiempo de cocción: 11 minutos

Porciones: 6

Ingredientes:

- 2 libras de filete de salmón
- Sal y pimienta al gusto
- ½ taza de queso parmesano rallado
- ¼ de taza de perejil fresco picado
- Dos dientes de ajo picados

Direcciones:

1. Precaliente la freidora a 350º F. Coloca el salmón con la piel hacia abajo sobre papel de aluminio y cúbrelo con otro trozo de papel. Cocina el salmón durante 10 minutos. Retire el salmón del papel de aluminio y cúbralo con ajo picado, perejil, queso parmesano y pimienta. Vuelva a poner el salmón en la freidora de aire durante 1 minuto de cocción.

La nutrición:

Calorías: 297,

Grasa total: 9,5g,

Carbohidratos: 8,3g,

Proteínas: 14,9g

Salmón y espárragos al horno en la freidora

Tiempo de preparación: 5 minutos

Tiempo de cocción: 15 minutos

Porciones: 4

Ingredientes:

- Cuatro filetes de salmón
- Cuatro espárragos
- Dos cucharadas de mantequilla
- Tres limones, cortados en rodajas
- Sal y pimienta al gusto

Direcciones:

1. Precaliente la freidora de aire a 300°Fahrenheit. Coge cuatro trozos de papel de aluminio. Añada los espárragos, el zumo de medio limón, la pimienta y la sal en un bol y mézclelos. Divida los espárragos sazonados de manera uniforme en los cuatro trozos de papel de aluminio. Coloca un filete de salmón sobre los espárragos. Poner unas rodajas de limón encima de los filetes de salmón. Doble bien el papel de aluminio para sellar el paquete. Colocar en la cesta de la freidora y cocinar durante 15 minutos. Servir caliente.

La nutrición:

Calorías: 291,

Grasa total: 16g,

Carbohidratos: 1g,

Proteínas: 35g

Salmón al horno con parmesano

Tiempo de preparación: 5 minutos

Tiempo de cocción: 11 minutos

Porciones: 5

Ingredientes:

- 2 libras de filete de salmón fresco
- Sal y pimienta al gusto
- ½ taza de queso parmesano rallado
- ¼ de taza de perejil fresco picado
- Dos dientes de ajo picados

Direcciones:

1. Precalienta la freidora de aire a 300°Fahrenheit. Ponga un poco de salmón con la piel hacia abajo sobre papel de aluminio y cúbralo con más papel de aluminio. Hornea el salmón en la cesta de la freidora durante 10 minutos. Abra el papel de aluminio y cubra el salmón con queso, ajo, pimienta, sal y perejil. Vuelva a meterlo en la freidora durante un minuto más.

La nutrición:

Calorías: 267,

Grasa total: 12g,

Carbohidratos: 6g,

Proteínas: 37g

Langostinos a la parrilla

Tiempo de preparación: 5 minutos

Tiempo de cocción: 15 minutos

Porciones: 4

Ingredientes:

- Ocho gambas medianas
- Sal y pimienta al gusto
- Tres dientes de ajo picados
- Una cucharada de mantequilla derretida
- Una ramita de romero

Direcciones:

1. Añade los ingredientes a un bol y mézclalos bien. Añade las gambas marinadas a la cesta de la freidora de aire y cocina a 300°Fahrenheit durante 7 minutos. Sirva caliente.

La nutrición:

Calorías: 137,

Grasa total: 4g,

Carbohidratos: 3g,

Proteínas: 20g

Vieiras al pesto

Tiempo de preparación: 10 minutos

Tiempo de cocción: 7 minutos

Porciones: 4

Ingredientes:

- 1 libra de vieiras
- 3 cucharadas de crema de leche
- 1/4 de taza de pesto de albahaca
- 1 cucharada de aceite de oliva
- Sal y pimienta

Direcciones:

1. Rocíe la cesta de la freidora de aire de varios niveles con spray de cocina.
2. Sazona las vieiras con pimienta y sal y añade en la cesta de la freidora de aire y coloca la cesta en la freidora de aire.
3. Selle la olla con la tapa de la freidora de aire y seleccione el modo de freír por aire, luego ajuste la temperatura a 320 f y el temporizador durante 5 minutos. Gire las vieiras después de 3 minutos.

4. Mientras tanto, en una sartén pequeña, calentar el aceite de oliva a fuego medio. Añadir el pesto y la nata líquida y cocinar durante 2 minutos. Retirar del fuego.
5. Añada las vieiras en el bol de la batidora. Vierta la salsa de pesto sobre las vieiras y mezcle bien.
6. Servir y disfrutar.

La nutrición:

Calorías 171

Grasa 8,5 g

Carbohidratos 3,5 g

Azúcar 0 g

Proteína 19,4 g

Colesterol 53 mg

Camarones cremosos a la parmesana

Tiempo de preparación: 10 minutos

Tiempo de cocción: 5 minutos

Porciones: 4

Ingredientes:

- 1 libra de camarones, desvenados y limpios
- 1 oz de queso parmesano rallado
- 1 cucharada de ajo picado
- 1 cucharada de zumo de limón
- 1/4 de taza de aderezo para ensalada

Direcciones:

1. Rocíe la cesta de la freidora de aire de varios niveles con spray de cocina.
2. Añada las gambas en la cesta de la freidora de aire y coloque la cesta en la freidora de aire.
3. Selle la olla con la tapa de la freidora de aire y seleccione el modo de freír por aire, luego ajuste la temperatura a 400 f y el temporizador durante 5 minutos.

4. Transfiera las gambas al bol de la batidora. Añade el resto de ingredientes sobre las gambas y remueve durante 1 minuto.
5. Servir y disfrutar.

La nutrición:

Calorías 219

Grasa 8,4 g

Carbohidratos 6,3 g

Azúcar 1 g

Proteína 28,4 g

Colesterol 248 mg

Delicioso salmón a la mantequilla de ajo

Tiempo de preparación: 10 minutos

Tiempo de cocción: 7 minutos

Porciones: 4

Ingredientes:

- 1 libra de filetes de salmón
- 2 cucharadas de ajo picado
- 1/4 de taza de queso parmesano rallado
- 1/4 de taza de mantequilla derretida
- Sal y pimienta

Direcciones:

1. Sazone el salmón con pimienta y sal.
2. En un bol, mezcle la mantequilla, el queso y el ajo, y páselo por encima de los filetes de salmón.
3. Coloque la bandeja de deshidratación en una cesta de freidora de aire de varios niveles y coloque la cesta en la freidora de aire.
4. Colocar los filetes de salmón en la bandeja de deshidratación.

5. Selle la olla con la tapa de la freidora de aire y seleccione el modo de freír con aire, luego ajuste la temperatura a 400 f y el temporizador para 7 minutos.
6. Servir y disfrutar.

La nutrición:

Calorías 277

Grasa 19,8 g

Carbohidratos 1,7 g

Azúcar 0,1 g

Proteínas 24,3 g

Colesterol 85 mg

Salmón con rábano picante

Tiempo de preparación: 10 minutos

Tiempo de cocción: 7 minutos

Raciones: 2

Ingredientes:

- filetes de salmón
- 1/4 de taza de pan rallado
- 2 cucharadas de aceite de oliva
- 1 cucharada de rábano picante
- Sal y pimienta

Direcciones:

1. Coloque la bandeja de deshidratación en una cesta de freidora de aire de varios niveles y coloque la cesta en la freidora de aire.
2. Colocar los filetes de salmón en la bandeja de deshidratación.
3. En un cuenco pequeño, mezcle el pan rallado, el aceite, el rábano picante, la pimienta y la sal y extiéndalo sobre los filetes de salmón.

4. Selle la olla con la tapa de la freidora de aire y seleccione el modo de freír con aire, luego ajuste la temperatura a 400 f y el temporizador para 7 minutos.
5. Servir y disfrutar.

La nutrición:

Calorías 413

Grasa 25,8 g

Carbohidratos 10,6 g

Azúcar 1,4 g

Proteínas 36,4 g

Colesterol 78 mg

Camarones al pesto

Tiempo de preparación: 10 minutos

Tiempo de cocción: 5 minutos

Porciones: 6

Ingredientes:

- 1 libra de camarones, descongelados
- 14 oz de pesto de albahaca

Direcciones:

1. Añade las gambas y el pesto en el bol y mézclalo bien.
2. Rocíe la cesta de la freidora de aire de varios niveles con spray de cocina.

3. Añada las gambas en la cesta de la freidora de aire y coloque la cesta en la freidora de aire.
4. Selle la olla con la tapa de la freidora de aire y seleccione el modo de freír por aire, luego ajuste la temperatura a 400 f y el temporizador durante 5 minutos.
5. Servir y disfrutar.

La nutrición:

Calorías 105

Grasa 1,7 g

Carbohidratos 2,9 g

Azúcar 0,2 g

Proteína 19,3 g

Colesterol 159 mg

Gambas al ajo y mantequilla

Tiempo de preparación: 10 minutos

Tiempo de cocción: 10 minutos

Porciones: 4

Ingredientes:

- 1 libra de camarones, pelados y desvenados
- 2 cucharadas de aceite de oliva
- 1/4 de taza de mantequilla derretida
- 4 cucharadas de ajo picado
- Sal y pimienta

Direcciones:

1. Añada las gambas en el bol de la batidora. Añada el resto de los ingredientes y mezcle bien.
2. Forre la cesta de la freidora de aire de varios niveles con papel de aluminio.
3. Añada las gambas en la cesta de la freidora de aire y coloque la cesta en la freidora de aire.
4. Selle la olla con la tapa de la freidora de aire y seleccione el modo de freír con aire, luego ajuste la temperatura a 400 f y el temporizador durante 10 minutos. Mezcle a mitad de camino.

5. Servir y disfrutar.

La nutrición:

Calorías 309

Grasa 20,5 g

Carbohidratos 4,5 g

Azúcar 0,1 g

Proteína 26,5 g

Colesterol 269 mg

Plan de comidas de 30 días

Día	Desayuno	Comida/cena	Postre
1	Sartén de camarones	Rollos de espinacas	Tarta de crepes de matcha
2	Yogur de coco con semillas de chía	Pliegues de queso de cabra	Mini tartas de calabaza con especias
3	Pudín de chía	Tarta de crepes	Barras de frutos secos
4	Bombas de grasa de huevo	Sopa de coco	Pastel de libra
5	Mañana "Grits"	Tacos de pescado	Receta de Tortilla Chips con Canela
6	Huevos	Ensalada	Yogur de

	escoceses	Cobb	granola con bayas
7	Sándwich de bacon	Sopa de queso	Sorbete de bayas
8	Noatmeal	Tartar de atún	Batido de coco y bayas
9	Desayuno al horno con carne	Sopa de almejas	Batido de plátano con leche de coco
10	Desayuno Bagel	Ensalada de carne asiática	Batido de mango y piña
11	Hash de huevo y verduras	Keto Carbonara	Batido verde de frambuesa
12	Sartén vaquera	Sopa de coliflor con semillas	Batido de bayas cargadas
13	Quiche de feta	Espárragos envueltos en prosciutto	Batido de papaya, plátano y col rizada
14	Tortitas de	Pimientos	Batido de

	bacon	rellenos	naranja verde
15	Gofres	Berenjenas rellenas de queso de cabra	Batido doble de bayas
16	Batido de chocolate	Curry Korma	Barras de proteínas energizantes
17	Huevos en sombreros de hongos Portobello	Barras de calabacín	Brownies dulces y con nueces
18	Bombas de grasa de matcha	Sopa de setas	Keto Macho Nachos
19	Keto Smoothie Bowl	Champiñones Portobello rellenos	Gelato de mantequilla de cacahuete, choco y plátano con menta
20	Tortilla de	Ensalada de	Melocotones

	salmón	lechuga	con canela y yogur
21	Hash Brown	Sopa de cebolla	Paleta de pera y menta con miel
22	Cazuela Bangin' de Black	Ensalada de espárragos	Batido de naranja y melocotón
23	Tazas de tocino	Tabbouleh de coliflor	Batido de manzana con especias y coco
24	Huevos con espinacas y queso	Salpicao de ternera	Batido dulce y de nueces
25	Taco Wraps	Alcachofa rellena	Batido de jengibre y bayas
26	Donas de café	Rollos de espinacas	Batido apto para vegetarianos
27	Tortilla de	Pliegues de	Batido de

	huevo al horno	queso de cabra	ChocNut
28	Risotto de rancho	Tarta de crepes	Batido de coco y fresa
29	Huevos escoceses	Sopa de coco	Batido de espinacas y bayas
30	Huevos fritos	Tacos de pescado	Batido de postre cremoso

Conclusión

Gracias por haber llegado hasta el final de este libro. Una freidora de aire es una adición relativamente nueva a la cocina, y es fácil ver por qué la gente se entusiasma con su uso. Con una freidora de aire, puede hacer patatas fritas crujientes, alas de pollo, pechugas de pollo y filetes en minutos. Hay muchos alimentos deliciosos que puedes preparar sin añadir aceite o grasa a tu comida. Una vez más, asegúrese de leer las instrucciones de su freidora de aire y de seguir las normas de uso y mantenimiento adecuados. Una vez que su freidora de aire esté en buenas condiciones de funcionamiento, puede ser realmente creativo y comenzar a experimentar su camino hacia la comida saludable que sabe muy bien.

Eso es todo. ¡Gracias!

Lightning Source UK Ltd.
Milton Keynes UK
UKHW020904220321
380765UK00001B/48